Hoopoe

Cockatoo

Bee eater Bird

Tucan

Flamingo

Macaw

This Book Belongs To

_____

_____

D1398839

PHOTO / SKETCH

LOCATION

LOCATION NAME ....

GPS COORDINATES ....

WEATHER CONDITIONS

MONTH SPOTTED

	J	F	M	A	M	J	J	A	S	O	N	D

HEAD

SPECIES ....

SEX / AGE ....

BEHAVIOR ....

VOICE ....

BODY ....

LEGS / FEET ....

HABITAT ....

ADDITIONAL NOTES ....

....

....

....

....

....

PHOTO / SKETCH

LOCATION

LOCATION NAME _____

GPS COORDINATES _____.

WEATHER CONDITIONS

MONTH SPOTTED

J	F	M	A	M	J	J	A	S	O	N	D

HEAD

SPECIES _____

SEX / AGE _____

BEHAVIOR _____

VOICE _____

BODY _____

LEGS / FEET _____

HABITAT _____

ADDITIONAL NOTES _____

_____

_____

_____

_____

_____

PHOTO / SKETCH

LOCATION

LOCATION NAME

GPS COORDINATES

WEATHER CONDITIONS

MONTH SPOTTED

	J	F	M	A	M	J	J	A	S	O	N	D

HEAD

SPECIES

SEX / AGE

BEHAVIOR

VOICE

BODY

LEGS / FEET

HABITAT

ADDITIONAL NOTES

PHOTO / SKETCH

LOCATION

LOCATION NAME _____

GPS COORDINATES _____

HEAD

SPECIES _____

SEX / AGE _____

BEHAVIOR _____

VOICE _____

BODY _____

LEGS / FEET _____

HABITAT _____

WEATHER CONDITIONS

ADDITIONAL NOTES _____

_____

_____

_____

_____

_____

MONTH SPOTTED

J	F	M	A	M	J	J	A	S	O	N	D

PHOTO / SKETCH

LOCATION

LOCATION NAME ....

GPS COORDINATES ....

WEATHER CONDITIONS

MONTH SPOTTED

J	F	M	A	M	J	J	A	S	O	N	D

HEAD

SPECIES ....

SEX / AGE ....

BEHAVIOR ....

VOICE ....

BODY ....

LEGS / FEET ....

HABITAT ....

ADDITIONAL NOTES ....

....

....

....

....

....

PHOTO / SKETCH

LOCATION

LOCATION NAME _____

GPS COORDINATES _____

HEAD

SPECIES _____

SEX / AGE _____

BEHAVIOR _____

VOICE _____

BODY _____

LEGS / FEET _____

HABITAT _____

ADDITIONAL NOTES _____

_____

_____

_____

_____

_____

WEATHER CONDITIONS

MONTH SPOTTED

J	F	M	A	M	J	J	A	S	O	N	D

PHOTO / SKETCH

LOCATION

LOCATION NAME ....

GPS COORDINATES ....

HEAD

SPECIES ....

SEX / AGE ....

BEHAVIOR ....

VOICE ....

BODY ....

LEGS / FEET ....

HABITAT ....

WEATHER CONDITIONS

ADDITIONAL NOTES ....

....

....

....

....

....

....

MONTH SPOTTED

J	F	M	A	M	J	J	A	S	O	N	D

PHOTO / SKETCH

LOCATION

LOCATION NAME _____

GPS COORDINATES _____

WEATHER CONDITIONS

MONTH SPOTTED

J	F	M	A	M	J	J	A	S	O	N	D

HEAD

SPECIES _____

SEX / AGE _____

BEHAVIOR _____

VOICE _____

BODY _____

LEGS / FEET _____

HABITAT _____

ADDITIONAL NOTES _____

_____

_____

_____

_____

_____

_____

PHOTO / SKETCH

LOCATION

HEAD

SPECIES _____

SEX / AGE _____

BEHAVIOR _____

VOICE _____

LOCATION NAME _____

BODY _____

GPS COORDINATES _____

LEGS / FEET _____

HABITAT _____

WEATHER CONDITIONS

☀ ⛅ 🌧 ⛈ ❄

☐ ☐ ☐ ☐ ☐

ADDITIONAL NOTES _____

_____

_____

_____

_____

_____

MONTH SPOTTED

J	F	M	A	M	J	J	A	S	O	N	D

PHOTO / SKETCH

LOCATION

LOCATION NAME _____

GPS COORDINATES _____

WEATHER CONDITIONS

MONTH SPOTTED

	J	F	M	A	M	J	J	A	S	O	N	D

HEAD

SPECIES _____

SEX / AGE _____

BEHAVIOR _____

VOICE _____

BODY _____

LEGS / FEET _____

HABITAT _____

ADDITIONAL NOTES _____

_____

_____

_____

_____

_____

PHOTO / SKETCH

LOCATION

LOCATION NAME

GPS COORDINATES

WEATHER CONDITIONS

MONTH SPOTTED

	J	F	M	A	M	J	J	A	S	O	N	D

HEAD

SPECIES

SEX / AGE

BEHAVIOR

VOICE

BODY

LEGS / FEET

HABITAT

ADDITIONAL NOTES

PHOTO / SKETCH

LOCATION

LOCATION NAME _____

GPS COORDINATES _____

WEATHER CONDITIONS

MONTH SPOTTED

J	F	M	A	M	J	J	A	S	O	N	D

HEAD

SPECIES _____

SEX / AGE _____

BEHAVIOR _____

VOICE _____

BODY _____

LEGS / FEET _____

HABITAT _____

ADDITIONAL NOTES _____

_____

_____

_____

_____

_____

PHOTO / SKETCH

LOCATION

LOCATION NAME ....

GPS COORDINATES ....

WEATHER CONDITIONS

MONTH SPOTTED

	J	F	M	A	M	J	J	A	S	O	N	D

HEAD

SPECIES ....

SEX / AGE ....

BEHAVIOR ....

VOICE ....

BODY ....

LEGS / FEET ....

HABITAT ....

ADDITIONAL NOTES ....

....

....

....

....

....

PHOTO / SKETCH

LOCATION

LOCATION NAME

GPS COORDINATES

WEATHER CONDITIONS

MONTH SPOTTED

J	F	M	A	M	J	J	A	S	O	N	D

HEAD

SPECIES

SEX / AGE

BEHAVIOR

VOICE

BODY

LEGS / FEET

HABITAT

ADDITIONAL NOTES

PHOTO / SKETCH

LOCATION

LOCATION NAME _____

GPS COORDINATES _____

MONTH SPOTTED

J	F	M	A	M	J	J	A	S	O	N	D

HEAD

SPECIES _____

SEX / AGE _____

BEHAVIOR _____

VOICE _____

BODY _____

LEGS / FEET _____

HABITAT _____

ADDITIONAL NOTES _____

_____

_____

_____

_____

_____

_____

PHOTO / SKETCH

LOCATION

LOCATION NAME _____

GPS COORDINATES _____

WEATHER CONDITIONS

MONTH SPOTTED

J	F	M	A	M	J	J	A	S	O	N	D

HEAD

SPECIES _____

SEX / AGE _____

BEHAVIOR _____

VOICE _____

BODY _____

LEGS / FEET _____

HABITAT _____

ADDITIONAL NOTES _____

_____

_____

_____

_____

_____

_____

PHOTO / SKETCH

LOCATION

LOCATION NAME _____

GPS COORDINATES _____

WEATHER CONDITIONS

MONTH SPOTTED

	J	F	M	A	M	J	J	A	S	O	N	D

HEAD

SPECIES _____

SEX / AGE _____

BEHAVIOR _____

VOICE _____

BODY _____

LEGS / FEET _____

HABITAT _____

ADDITIONAL NOTES _____

_____

_____

_____

_____

_____

PHOTO / SKETCH

LOCATION

LOCATION NAME _____

GPS COORDINATES _____

HEAD

SPECIES _____

SEX / AGE _____

BEHAVIOR _____

VOICE _____

BODY _____

LEGS / FEET _____

HABITAT _____

WEATHER CONDITIONS

ADDITIONAL NOTES _____

_____

_____

_____

_____

_____

MONTH SPOTTED

J	F	M	A	M	J	J	A	S	O	N	D

PHOTO / SKETCH

LOCATION

HEAD

SPECIES

SEX / AGE

BEHAVIOR

VOICE

LOCATION NAME

BODY

GPS COORDINATES

LEGS / FEET

HABITAT

WEATHER CONDITIONS

ADDITIONAL NOTES

MONTH SPOTTED

J	F	M	A	M	J	J	A	S	O	N	D

PHOTO / SKETCH

LOCATION

LOCATION NAME _____

GPS COORDINATES _____

WEATHER CONDITIONS

🌡 ____ ☀ ⛅ 🌧 ⛈ ❄
🚩 ____ ☐ ☐ ☐ ☐ ☐

MONTH SPOTTED

J	F	M	A	M	J	J	A	S	O	N	D

HEAD

SPECIES _____

SEX / AGE _____

BEHAVIOR _____

VOICE _____

BODY _____

LEGS / FEET _____

HABITAT _____

ADDITIONAL NOTES _____

_____

_____

_____

_____

_____

_____

PHOTO / SKETCH

LOCATION

LOCATION NAME ....

GPS COORDINATES ....

WEATHER CONDITIONS

☀ ⛅ 🌧 ⛈ ❄

🌡 ____

🚩 ____ ☐ ☐ ☐ ☐ ☐

MONTH SPOTTED

	J	F	M	A	M	J	J	A	S	O	N	D

HEAD

SPECIES ....

SEX / AGE ....

BEHAVIOR ....

VOICE ....

BODY ....

LEGS / FEET ....

HABITAT ....

ADDITIONAL NOTES ....

....

....

....

....

....

PHOTO / SKETCH

LOCATION

LOCATION NAME _____

GPS COORDINATES _____

WEATHER CONDITIONS

MONTH SPOTTED

J	F	M	A	M	J	J	A	S	O	N	D

HEAD

SPECIES _____

SEX / AGE _____

BEHAVIOR _____

VOICE _____

BODY _____

LEGS / FEET _____

HABITAT _____

ADDITIONAL NOTES _____

_____

_____

_____

_____

_____

_____

PHOTO / SKETCH

LOCATION

LOCATION NAME _____

GPS COORDINATES _____

WEATHER CONDITIONS

MONTH SPOTTED

J	F	M	A	M	J	J	A	S	O	N	D

HEAD

SPECIES _____

SEX / AGE _____

BEHAVIOR _____

VOICE _____

BODY _____

LEGS / FEET _____

HABITAT _____

ADDITIONAL NOTES _____

_____

_____

_____

_____

_____

_____

PHOTO / SKETCH

LOCATION

LOCATION NAME _____

GPS COORDINATES _____

WEATHER CONDITIONS

MONTH SPOTTED

J	F	M	A	M	J	J	A	S	O	N	D

HEAD

SPECIES _____

SEX / AGE _____

BEHAVIOR _____

VOICE _____

BODY _____

LEGS / FEET _____

HABITAT _____

ADDITIONAL NOTES _____

_____

_____

_____

_____

_____

PHOTO / SKETCH

LOCATION

LOCATION NAME _____

GPS COORDINATES _____

WEATHER CONDITIONS

🌡 ___ ☀ ⛅ 🌧 ⛈ ❄

🌬 ___ ▢ ▢ ▢ ▢ ▢

MONTH SPOTTED

J	F	M	A	M	J	J	A	S	O	N	D

HEAD

SPECIES _____

SEX / AGE _____

BEHAVIOR _____

VOICE _____

BODY _____

LEGS / FEET _____

HABITAT _____

ADDITIONAL NOTES _____

_____

_____

_____

_____

_____

PHOTO / SKETCH

LOCATION

HEAD

SPECIES _____

SEX / AGE _____

BEHAVIOR _____

VOICE _____

LOCATION NAME _____

BODY _____

GPS COORDINATES _____

LEGS / FEET _____

HABITAT _____

WEATHER CONDITIONS

ADDITIONAL NOTES _____

_____

_____

_____

MONTH SPOTTED

J	F	M	A	M	J	J	A	S	O	N	D

PHOTO / SKETCH

LOCATION

HEAD

SPECIES ....

SEX / AGE ....

BEHAVIOR ....

VOICE ....

LOCATION NAME ....

BODY ....

GPS COORDINATES ....

LEGS / FEET ....

HABITAT ....

WEATHER CONDITIONS

ADDITIONAL NOTES ....

....

....

....

....

....

MONTH SPOTTED

J	F	M	A	M	J	J	A	S	O	N	D

PHOTO / SKETCH

LOCATION

LOCATION NAME _____

GPS COORDINATES _____

HEAD

SPECIES _____

SEX / AGE _____

BEHAVIOR _____

VOICE _____

BODY _____

LEGS / FEET _____

HABITAT _____

WEATHER CONDITIONS

ADDITIONAL NOTES _____

_____

_____

_____

_____

_____

MONTH SPOTTED

J	F	M	A	M	J	J	A	S	O	N	D

PHOTO / SKETCH

LOCATION

LOCATION NAME _____

GPS COORDINATES _____

WEATHER CONDITIONS

MONTH SPOTTED

	J	F	M	A	M	J	J	A	S	O	N	D

HEAD

SPECIES _____

SEX / AGE _____

BEHAVIOR _____

VOICE _____

BODY _____

LEGS / FEET _____

HABITAT _____

ADDITIONAL NOTES _____

_____

_____

_____

_____

_____

PHOTO / SKETCH

LOCATION

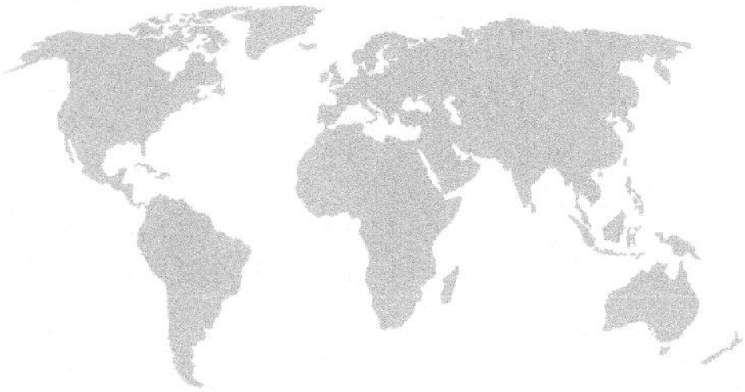

LOCATION NAME

GPS COORDINATES

WEATHER CONDITIONS

MONTH SPOTTED

	J	F	M	A	M	J	J	A	S	O	N	D

HEAD

SPECIES

SEX / AGE

BEHAVIOR

VOICE

BODY

LEGS / FEET

HABITAT

ADDITIONAL NOTES

PHOTO / SKETCH

LOCATION

HEAD

SPECIES ....

SEX / AGE ....

BEHAVIOR ....

VOICE ....

LOCATION NAME .... BODY ....

GPS COORDINATES .... LEGS / FEET ....

HABITAT ....

WEATHER CONDITIONS

ADDITIONAL NOTES ....

....

....

....

MONTH SPOTTED

J	F	M	A	M	J	J	A	S	O	N	D

PHOTO / SKETCH

LOCATION

LOCATION NAME _____

GPS COORDINATES _____

WEATHER CONDITIONS

☀ ⛅ 🌧 ⛈ ❄

☐ ☐ ☐ ☐ ☐

MONTH SPOTTED

J	F	M	A	M	J	J	A	S	O	N	D

HEAD

SPECIES _____

SEX / AGE _____

BEHAVIOR _____

VOICE _____

BODY _____

LEGS / FEET _____

HABITAT _____

ADDITIONAL NOTES _____

_____

_____

_____

_____

_____

_____

PHOTO / SKETCH

LOCATION

LOCATION NAME ------------------------------

GPS COORDINATES ------------------------------

WEATHER CONDITIONS

🌡 — ☀ ⛅ 🌧 ⛈ ❄

🎏 — ☐ ☐ ☐ ☐ ☐

MONTH SPOTTED

J	F	M	A	M	J	J	A	S	O	N	D

HEAD

SPECIES ------------------------------

SEX / AGE ------------------------------

BEHAVIOR ------------------------------

VOICE ------------------------------

BODY ------------------------------

LEGS / FEET ------------------------------

HABITAT ------------------------------

ADDITIONAL NOTES ------------------------------

PHOTO / SKETCH

LOCATION

LOCATION NAME _____

GPS COORDINATES _____

WEATHER CONDITIONS

MONTH SPOTTED

	J	F	M	A	M	J	J	A	S	O	N	D

HEAD

SPECIES _____

SEX / AGE _____

BEHAVIOR _____

VOICE _____

BODY _____

LEGS / FEET _____

HABITAT _____

ADDITIONAL NOTES _____

_____

_____

_____

_____

_____

_____

PHOTO / SKETCH

LOCATION

LOCATION NAME _____

GPS COORDINATES _____

WEATHER CONDITIONS

☀ ⛅ 🌧 ⛈ ❄

☐ ☐ ☐ ☐ ☐

MONTH SPOTTED

J	F	M	A	M	J	J	A	S	O	N	D

HEAD

SPECIES _____

SEX / AGE _____

BEHAVIOR _____

VOICE _____

BODY _____

LEGS / FEET _____

HABITAT _____

ADDITIONAL NOTES _____

_____

_____

_____

_____

_____

_____

PHOTO / SKETCH

LOCATION

LOCATION NAME _____

GPS COORDINATES _____

WEATHER CONDITIONS

MONTH SPOTTED

J	F	M	A	M	J	J	A	S	O	N	D

HEAD

SPECIES _____

SEX / AGE _____

BEHAVIOR _____

VOICE _____

BODY _____

LEGS / FEET _____

HABITAT _____

ADDITIONAL NOTES _____

_____

_____

_____

_____

_____

PHOTO / SKETCH

LOCATION

HEAD

SPECIES _____

SEX / AGE _____

BEHAVIOR _____

VOICE _____

LOCATION NAME _____

BODY _____

GPS COORDINATES _____

LEGS / FEET _____

HABITAT _____

WEATHER CONDITIONS

☀ ⛅ 🌧 ⛈ ❄

ADDITIONAL NOTES _____

_____

_____

MONTH SPOTTED

	J	F	M	A	M	J	J	A	S	O	N	D

_____

_____

PHOTO / SKETCH

LOCATION

LOCATION NAME ....

GPS COORDINATES ....

HEAD

SPECIES ....

SEX / AGE ....

BEHAVIOR ....

VOICE ....

BODY ....

LEGS / FEET ....

HABITAT ....

WEATHER CONDITIONS

ADDITIONAL NOTES ....

....

....

....

....

....

MONTH SPOTTED

J	F	M	A	M	J	J	A	S	O	N	D

PHOTO / SKETCH

LOCATION

LOCATION NAME ....

GPS COORDINATES ....

HEAD

SPECIES ....

SEX / AGE ....

BEHAVIOR ....

VOICE ....

BODY ....

LEGS / FEET ....

HABITAT ....

WEATHER CONDITIONS

ADDITIONAL NOTES ....

....

....

....

....

....

....

MONTH SPOTTED

J	F	M	A	M	J	J	A	S	O	N	D

PHOTO / SKETCH

LOCATION

LOCATION NAME _____

GPS COORDINATES _____

HEAD

SPECIES _____

SEX / AGE _____

BEHAVIOR _____

VOICE _____

BODY _____

LEGS / FEET _____

HABITAT _____

ADDITIONAL NOTES _____

_____

_____

_____

_____

_____

_____

WEATHER CONDITIONS

MONTH SPOTTED

J	F	M	A	M	J	J	A	S	O	N	D

PHOTO / SKETCH

LOCATION

LOCATION NAME _____

GPS COORDINATES _____

WEATHER CONDITIONS

🌡 ___ ☀ ⛅ 🌧 ⛈ ❄

🚩 ___ ☐ ☐ ☐ ☐ ☐

MONTH SPOTTED

	J	F	M	A	M	J	J	A	S	O	N	D

HEAD

SPECIES _____

SEX / AGE _____

BEHAVIOR _____

VOICE _____

BODY _____

LEGS / FEET _____

HABITAT _____

ADDITIONAL NOTES _____

_____

_____

_____

_____

_____

PHOTO / SKETCH

LOCATION

LOCATION NAME _____

GPS COORDINATES _____

HEAD

SPECIES _____

SEX / AGE _____

BEHAVIOR _____

VOICE _____

BODY _____

LEGS / FEET _____

HABITAT _____

WEATHER CONDITIONS

ADDITIONAL NOTES _____

_____

_____

_____

_____

_____

_____

MONTH SPOTTED

J	F	M	A	M	J	J	A	S	O	N	D

PHOTO / SKETCH

LOCATION

LOCATION NAME ....

GPS COORDINATES ....

WEATHER CONDITIONS

MONTH SPOTTED

	J	F	M	A	M	J	J	A	S	O	N	D

HEAD

SPECIES ....

SEX / AGE ....

BEHAVIOR ....

VOICE ....

BODY ....

LEGS / FEET ....

HABITAT ....

ADDITIONAL NOTES ....

....

....

....

....

....

....

PHOTO / SKETCH

LOCATION

LOCATION NAME _____

GPS COORDINATES _____

WEATHER CONDITIONS

MONTH SPOTTED

J	F	M	A	M	J	J	A	S	O	N	D

HEAD

SPECIES _____

SEX / AGE _____

BEHAVIOR _____

VOICE _____

BODY _____

LEGS / FEET _____

HABITAT _____

ADDITIONAL NOTES _____

_____

_____

_____

_____

_____

PHOTO / SKETCH

LOCATION

LOCATION NAME _____

GPS COORDINATES _____

WEATHER CONDITIONS

MONTH SPOTTED

	J	F	M	A	M	J	J	A	S	O	N	D

HEAD

SPECIES _____

SEX / AGE _____

BEHAVIOR _____

VOICE _____

BODY _____

LEGS / FEET _____

HABITAT _____

ADDITIONAL NOTES _____

_____

_____

_____

_____

_____

PHOTO / SKETCH

LOCATION

LOCATION NAME _____

GPS COORDINATES _____

HEAD

SPECIES _____

SEX / AGE _____

BEHAVIOR _____

VOICE _____

BODY _____

LEGS / FEET _____

HABITAT _____

WEATHER CONDITIONS

ADDITIONAL NOTES _____

_____

_____

_____

_____

_____

_____

MONTH SPOTTED

J	F	M	A	M	J	J	A	S	O	N	D

PHOTO / SKETCH

LOCATION

LOCATION NAME ....

GPS COORDINATES ....

WEATHER CONDITIONS

MONTH SPOTTED

J	F	M	A	M	J	J	A	S	O	N	D

HEAD

SPECIES ....

SEX / AGE ....

BEHAVIOR ....

VOICE ....

BODY ....

LEGS / FEET ....

HABITAT ....

ADDITIONAL NOTES ....

....

....

....

....

....

PHOTO / SKETCH

LOCATION

LOCATION NAME ....

GPS COORDINATES ....

WEATHER CONDITIONS

MONTH SPOTTED

J	F	M	A	M	J	J	A	S	O	N	D

HEAD

SPECIES ....

SEX / AGE ....

BEHAVIOR ....

VOICE ....

BODY ....

LEGS / FEET ....

HABITAT ....

ADDITIONAL NOTES ....

....

....

....

....

....

LOCATION

HEAD

LOCATION NAME _____

GPS COORDINATES _____

SPECIES _____

SEX / AGE _____

BEHAVIOR _____

VOICE _____

BODY _____

LEGS / FEET _____

HABITAT _____

WEATHER CONDITIONS

☀ ⛅ 🌧 ⛈ ❄

ADDITIONAL NOTES _____

_____

_____

_____

_____

_____

MONTH SPOTTED

J	F	M	A	M	J	J	A	S	O	N	D

PHOTO / SKETCH

LOCATION

HEAD

SPECIES _____

SEX / AGE _____

BEHAVIOR _____

VOICE _____

LOCATION NAME _____

BODY _____

GPS COORDINATES _____

LEGS / FEET _____

HABITAT _____

WEATHER CONDITIONS

ADDITIONAL NOTES _____

_____

_____

_____

_____

_____

MONTH SPOTTED

J	F	M	A	M	J	J	A	S	O	N	D

PHOTO / SKETCH

LOCATION

LOCATION NAME ....

GPS COORDINATES ....

WEATHER CONDITIONS

MONTH SPOTTED

J	F	M	A	M	J	J	A	S	O	N	D

HEAD

SPECIES ....

SEX / AGE ....

BEHAVIOR ....

VOICE ....

BODY ....

LEGS / FEET ....

HABITAT ....

ADDITIONAL NOTES ....

....

....

....

....

....

PHOTO / SKETCH

LOCATION

LOCATION NAME _____

GPS COORDINATES _____

HEAD

SPECIES _____

SEX / AGE _____

BEHAVIOR _____

VOICE _____

BODY _____

LEGS / FEET _____

HABITAT _____

WEATHER CONDITIONS

ADDITIONAL NOTES _____

_____

_____

_____

_____

_____

MONTH SPOTTED

	J	F	M	A	M	J	J	A	S	O	N	D

PHOTO / SKETCH

LOCATION

LOCATION NAME ---------------------------------

GPS COORDINATES ---------------------------------

WEATHER CONDITIONS

MONTH SPOTTED

	J	F	M	A	M	J	J	A	S	O	N	D

HEAD

SPECIES ---------------------------------

SEX / AGE ---------------------------------

BEHAVIOR ---------------------------------

VOICE ---------------------------------

BODY ---------------------------------

LEGS / FEET ---------------------------------

HABITAT ---------------------------------

ADDITIONAL NOTES ---------------------------------

PHOTO / SKETCH

LOCATION

LOCATION NAME _____

GPS COORDINATES _____

WEATHER CONDITIONS

MONTH SPOTTED

J	F	M	A	M	J	J	A	S	O	N	D

HEAD

SPECIES _____

SEX / AGE _____

BEHAVIOR _____

VOICE _____

BODY _____

LEGS / FEET _____

HABITAT _____

ADDITIONAL NOTES _____

_____

_____

_____

_____

_____

_____

PHOTO / SKETCH

LOCATION

LOCATION NAME _____

GPS COORDINATES _____

WEATHER CONDITIONS

MONTH SPOTTED

J	F	M	A	M	J	J	A	S	O	N	D

HEAD

SPECIES _____

SEX / AGE _____

BEHAVIOR _____

VOICE _____

BODY _____

LEGS / FEET _____

HABITAT _____

ADDITIONAL NOTES _____

_____

_____

_____

_____

_____

_____

PHOTO / SKETCH

LOCATION

LOCATION NAME ....

GPS COORDINATES ....

WEATHER CONDITIONS

MONTH SPOTTED

J	F	M	A	M	J	J	A	S	O	N	D

HEAD

SPECIES ....

SEX / AGE ....

BEHAVIOR ....

VOICE ....

BODY ....

LEGS / FEET ....

HABITAT ....

ADDITIONAL NOTES ....

....

....

....

....

....

PHOTO / SKETCH

LOCATION

HEAD

SPECIES _____

SEX / AGE _____

BEHAVIOR _____

VOICE _____

LOCATION NAME _____

BODY _____

GPS COORDINATES _____

LEGS / FEET _____

HABITAT _____

WEATHER CONDITIONS

ADDITIONAL NOTES _____

_____

_____

_____

MONTH SPOTTED

J	F	M	A	M	J	J	A	S	O	N	D

PHOTO / SKETCH

LOCATION

LOCATION NAME ....

GPS COORDINATES ....

HEAD

SPECIES ....

SEX / AGE ....

BEHAVIOR ....

VOICE ....

BODY ....

LEGS / FEET ....

HABITAT ....

WEATHER CONDITIONS

ADDITIONAL NOTES ....

....

....

....

....

....

....

MONTH SPOTTED

J	F	M	A	M	J	J	A	S	O	N	D

PHOTO / SKETCH

LOCATION

LOCATION NAME ....

GPS COORDINATES ....

WEATHER CONDITIONS

MONTH SPOTTED

J	F	M	A	M	J	J	A	S	O	N	D

HEAD

SPECIES ....

SEX / AGE ....

BEHAVIOR ....

VOICE ....

BODY ....

LEGS / FEET ....

HABITAT ....

ADDITIONAL NOTES ....

....

....

....

....

....

....

PHOTO / SKETCH

LOCATION

LOCATION NAME _____

GPS COORDINATES _____

HEAD

SPECIES _____

SEX / AGE _____

BEHAVIOR _____

VOICE _____

BODY _____

LEGS / FEET _____

HABITAT _____

ADDITIONAL NOTES _____

_____

_____

_____

_____

_____

_____

WEATHER CONDITIONS

MONTH SPOTTED

J	F	M	A	M	J	J	A	S	O	N	D

PHOTO / SKETCH

LOCATION

LOCATION NAME _____

GPS COORDINATES _____

WEATHER CONDITIONS

MONTH SPOTTED

J	F	M	A	M	J	J	A	S	O	N	D

HEAD

SPECIES _____

SEX / AGE _____

BEHAVIOR _____

VOICE _____

BODY _____

LEGS / FEET _____

HABITAT _____

ADDITIONAL NOTES _____

_____

_____

_____

_____

_____

PHOTO / SKETCH

LOCATION

LOCATION NAME ....

GPS COORDINATES ....

WEATHER CONDITIONS

MONTH SPOTTED

J	F	M	A	M	J	J	A	S	O	N	D

HEAD

SPECIES ....

SEX / AGE ....

BEHAVIOR ....

VOICE ....

BODY ....

LEGS / FEET ....

HABITAT ....

ADDITIONAL NOTES ....

PHOTO / SKETCH

LOCATION

LOCATION NAME _____

GPS COORDINATES _____

HEAD

SPECIES _____

SEX / AGE _____

BEHAVIOR _____

VOICE _____

BODY _____

LEGS / FEET _____

HABITAT _____

WEATHER CONDITIONS

ADDITIONAL NOTES _____

_____

_____

_____

_____

_____

MONTH SPOTTED

J	F	M	A	M	J	J	A	S	O	N	D

PHOTO / SKETCH

LOCATION

HEAD

SPECIES _____

SEX / AGE _____

BEHAVIOR _____

VOICE _____

LOCATION NAME _____

BODY _____

GPS COORDINATES _____

LEGS / FEET _____

HABITAT _____

WEATHER CONDITIONS

ADDITIONAL NOTES

_____

_____

_____

MONTH SPOTTED

J	F	M	A	M	J	J	A	S	O	N	D

PHOTO / SKETCH

LOCATION

LOCATION NAME _____

GPS COORDINATES _____

WEATHER CONDITIONS

MONTH SPOTTED

J	F	M	A	M	J	J	A	S	O	N	D

HEAD

SPECIES _____

SEX / AGE _____

BEHAVIOR _____

VOICE _____

BODY _____

LEGS / FEET _____

HABITAT _____

ADDITIONAL NOTES _____

_____

_____

_____

_____

PHOTO / SKETCH

LOCATION

LOCATION NAME

GPS COORDINATES

HEAD

SPECIES

SEX / AGE

BEHAVIOR

VOICE

BODY

LEGS / FEET

HABITAT

WEATHER CONDITIONS

ADDITIONAL NOTES

MONTH SPOTTED

J	F	M	A	M	J	J	A	S	O	N	D

PHOTO / SKETCH

LOCATION

LOCATION NAME _____

GPS COORDINATES _____

WEATHER CONDITIONS

MONTH SPOTTED

J	F	M	A	M	J	J	A	S	O	N	D

HEAD

SPECIES _____

SEX / AGE _____

BEHAVIOR _____

VOICE _____

BODY _____

LEGS / FEET _____

HABITAT _____

ADDITIONAL NOTES _____

_____

_____

_____

_____

_____

_____

PHOTO / SKETCH

LOCATION

LOCATION NAME _____

GPS COORDINATES _____

HEAD

SPECIES _____

SEX / AGE _____

BEHAVIOR _____

VOICE _____

BODY _____

LEGS / FEET _____

HABITAT _____

WEATHER CONDITIONS

ADDITIONAL NOTES

_____

_____

_____

_____

_____

_____

MONTH SPOTTED

J	F	M	A	M	J	J	A	S	O	N	D

PHOTO / SKETCH

LOCATION

HEAD

LOCATION NAME _____

GPS COORDINATES _____

SPECIES _____

SEX / AGE _____

BEHAVIOR _____

VOICE _____

BODY _____

LEGS / FEET _____

HABITAT _____

WEATHER CONDITIONS

ADDITIONAL NOTES _____

_____

_____

_____

_____

_____

MONTH SPOTTED

	J	F	M	A	M	J	J	A	S	O	N	D

PHOTO / SKETCH

LOCATION

HEAD

LOCATION NAME _____

GPS COORDINATES _____

SPECIES _____

SEX / AGE _____

BEHAVIOR _____

VOICE _____

BODY _____

LEGS / FEET _____

HABITAT _____

WEATHER CONDITIONS

ADDITIONAL NOTES _____

_____

_____

_____

_____

_____

MONTH SPOTTED

J	F	M	A	M	J	J	A	S	O	N	D

PHOTO / SKETCH

LOCATION

LOCATION NAME ....

GPS COORDINATES ....

WEATHER CONDITIONS

MONTH SPOTTED

J	F	M	A	M	J	J	A	S	O	N	D

HEAD

SPECIES ....

SEX / AGE ....

BEHAVIOR ....

VOICE ....

BODY ....

LEGS / FEET ....

HABITAT ....

ADDITIONAL NOTES ....

....

....

....

....

....

....

PHOTO / SKETCH

LOCATION

HEAD

SPECIES _____

SEX / AGE _____

BEHAVIOR _____

VOICE _____

LOCATION NAME _____

BODY _____

GPS COORDINATES _____

LEGS / FEET _____

HABITAT _____

WEATHER CONDITIONS

ADDITIONAL NOTES _____

_____

_____

_____

_____

_____

MONTH SPOTTED

J	F	M	A	M	J	J	A	S	O	N	D

PHOTO / SKETCH

LOCATION

LOCATION NAME ....

GPS COORDINATES ....

WEATHER CONDITIONS

MONTH SPOTTED

	J	F	M	A	M	J	J	A	S	O	N	D

HEAD

SPECIES ....

SEX / AGE ....

BEHAVIOR ....

VOICE ....

BODY ....

LEGS / FEET ....

HABITAT ....

ADDITIONAL NOTES ....

....

....

....

....

....

PHOTO / SKETCH

LOCATION

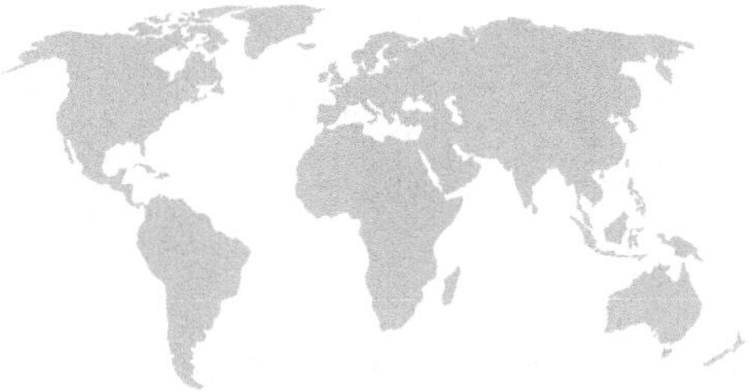

LOCATION NAME _____

GPS COORDINATES _____

HEAD

SPECIES _____

SEX / AGE _____

BEHAVIOR _____

VOICE _____

BODY _____

LEGS / FEET _____

HABITAT _____

WEATHER CONDITIONS

ADDITIONAL NOTES _____

_____

_____

_____

_____

_____

_____

MONTH SPOTTED

	J	F	M	A	M	J	J	A	S	O	N	D

PHOTO / SKETCH

LOCATION

LOCATION NAME

GPS COORDINATES

WEATHER CONDITIONS

MONTH SPOTTED

J	F	M	A	M	J	J	A	S	O	N	D

HEAD

SPECIES

SEX / AGE

BEHAVIOR

VOICE

BODY

LEGS / FEET

HABITAT

ADDITIONAL NOTES

PHOTO / SKETCH

LOCATION

LOCATION NAME

GPS COORDINATES

WEATHER CONDITIONS

MONTH SPOTTED

J	F	M	A	M	J	J	A	S	O	N	D

HEAD

SPECIES

SEX / AGE

BEHAVIOR

VOICE

BODY

LEGS / FEET

HABITAT

ADDITIONAL NOTES

PHOTO / SKETCH

LOCATION

HEAD

SPECIES _____

SEX / AGE _____

BEHAVIOR _____

VOICE _____

LOCATION NAME _____

BODY _____

GPS COORDINATES _____

LEGS / FEET _____

HABITAT _____

WEATHER CONDITIONS

ADDITIONAL NOTES _____

_____

_____

_____

_____

MONTH SPOTTED

J	F	M	A	M	J	J	A	S	O	N	D

PHOTO / SKETCH

LOCATION

LOCATION NAME ....

GPS COORDINATES ....

WEATHER CONDITIONS

MONTH SPOTTED

J	F	M	A	M	J	J	A	S	O	N	D

HEAD

SPECIES ....

SEX / AGE ....

BEHAVIOR ....

VOICE ....

BODY ....

LEGS / FEET ....

HABITAT ....

ADDITIONAL NOTES ....

....

....

....

....

....

....

PHOTO / SKETCH

LOCATION

LOCATION NAME _____

GPS COORDINATES _____

HEAD

SPECIES _____

SEX / AGE _____

BEHAVIOR _____

VOICE _____

BODY _____

LEGS / FEET _____

HABITAT _____

WEATHER CONDITIONS

ADDITIONAL NOTES _____

MONTH SPOTTED

J	F	M	A	M	J	J	A	S	O	N	D

PHOTO / SKETCH

LOCATION

LOCATION NAME _____

GPS COORDINATES _____

HEAD

SPECIES _____

SEX / AGE _____

BEHAVIOR _____

VOICE _____

BODY _____

LEGS / FEET _____

HABITAT _____

WEATHER CONDITIONS

| 🌡 | — | ☀ | ⛅ | 🌧 | ⛈ | ❄ |
| 🚩 | — | ☐ | ☐ | ☐ | ☐ | ☐ |

ADDITIONAL NOTES _____

_____

_____

_____

_____

_____

MONTH SPOTTED

J	F	M	A	M	J	J	A	S	O	N	D

PHOTO / SKETCH

LOCATION

HEAD

SPECIES ---------------------------------

SEX / AGE -------------------------------

BEHAVIOR --------------------------------

VOICE -----------------------------------

LOCATION NAME ----------------------

BODY ------------------------------------

GPS COORDINATES -------------------

LEGS / FEET -----------------------------

HABITAT ---------------------------------

WEATHER CONDITIONS

ADDITIONAL NOTES ----------------

MONTH SPOTTED

	J	F	M	A	M	J	J	A	S	O	N	D

PHOTO / SKETCH

LOCATION

LOCATION NAME ....

GPS COORDINATES ....

WEATHER CONDITIONS

MONTH SPOTTED

J	F	M	A	M	J	J	A	S	O	N	D

HEAD

SPECIES ....

SEX / AGE ....

BEHAVIOR ....

VOICE ....

BODY ....

LEGS / FEET ....

HABITAT ....

ADDITIONAL NOTES ....

....

....

....

....

....

....

PHOTO / SKETCH

LOCATION

LOCATION NAME

GPS COORDINATES

WEATHER CONDITIONS

MONTH SPOTTED

J	F	M	A	M	J	J	A	S	O	N	D

HEAD

SPECIES

SEX / AGE

BEHAVIOR

VOICE

BODY

LEGS / FEET

HABITAT

ADDITIONAL NOTES

PHOTO / SKETCH

LOCATION

LOCATION NAME --

GPS COORDINATES --

HEAD

SPECIES --

SEX / AGE --

BEHAVIOR --

VOICE --

BODY --

LEGS / FEET --

HABITAT --

WEATHER CONDITIONS

ADDITIONAL NOTES --

MONTH SPOTTED

J	F	M	A	M	J	J	A	S	O	N	D

PHOTO / SKETCH

LOCATION

LOCATION NAME ----------------------------------

GPS COORDINATES --------------------------------

HEAD

SPECIES --

SEX / AGE --------------------------------------

BEHAVIOR ---------------------------------------

VOICE --

BODY ---

LEGS / FEET ------------------------------------

HABITAT --

WEATHER CONDITIONS

ADDITIONAL NOTES ----------------------------

MONTH SPOTTED

J	F	M	A	M	J	J	A	S	O	N	D

PHOTO / SKETCH

LOCATION

LOCATION NAME _____

GPS COORDINATES _____

WEATHER CONDITIONS

☀ ⛅ 🌧 ⛈ ❄
☐ ☐ ☐ ☐ ☐

MONTH SPOTTED

J	F	M	A	M	J	J	A	S	O	N	D

HEAD

SPECIES _____

SEX / AGE _____

BEHAVIOR _____

VOICE _____

BODY _____

LEGS / FEET _____

HABITAT _____

ADDITIONAL NOTES _____

_____

_____

_____

_____

_____

PHOTO / SKETCH

LOCATION

LOCATION NAME

GPS COORDINATES

HEAD

SPECIES

SEX / AGE

BEHAVIOR

VOICE

BODY

LEGS / FEET

HABITAT

WEATHER CONDITIONS

ADDITIONAL NOTES

MONTH SPOTTED

J	F	M	A	M	J	J	A	S	O	N	D

PHOTO / SKETCH

LOCATION

LOCATION NAME

GPS COORDINATES

HEAD

SPECIES

SEX / AGE

BEHAVIOR

VOICE

BODY

LEGS / FEET

HABITAT

WEATHER CONDITIONS

MONTH SPOTTED

J	F	M	A	M	J	J	A	S	O	N	D

ADDITIONAL NOTES

PHOTO / SKETCH

LOCATION

LOCATION NAME _____

GPS COORDINATES _____

WEATHER CONDITIONS

☼ ⛅ 🌧 ⛈ ❄

☐ ☐ ☐ ☐ ☐

MONTH SPOTTED

J	F	M	A	M	J	J	A	S	O	N	D

HEAD

SPECIES _____

SEX / AGE _____

BEHAVIOR _____

VOICE _____

BODY _____

LEGS / FEET _____

HABITAT _____

ADDITIONAL NOTES _____

_____

_____

_____

_____

PHOTO / SKETCH

LOCATION

HEAD

SPECIES ....

SEX / AGE ....

BEHAVIOR ....

VOICE ....

LOCATION NAME ....

BODY ....

GPS COORDINATES ....

LEGS / FEET ....

HABITAT ....

WEATHER CONDITIONS

ADDITIONAL NOTES ....

....

....

....

....

....

MONTH SPOTTED

J	F	M	A	M	J	J	A	S	O	N	D

PHOTO / SKETCH

LOCATION

LOCATION NAME

GPS COORDINATES

WEATHER CONDITIONS

MONTH SPOTTED

J	F	M	A	M	J	J	A	S	O	N	D

HEAD

SPECIES

SEX / AGE

BEHAVIOR

VOICE

BODY

LEGS / FEET

HABITAT

ADDITIONAL NOTES

PHOTO / SKETCH

LOCATION

LOCATION NAME ....

GPS COORDINATES ....

WEATHER CONDITIONS

MONTH SPOTTED

J	F	M	A	M	J	J	A	S	O	N	D

HEAD

SPECIES ....

SEX / AGE ....

BEHAVIOR ....

VOICE ....

BODY ....

LEGS / FEET ....

HABITAT ....

ADDITIONAL NOTES ....

LOCATION

LOCATION NAME ....

GPS COORDINATES ....

WEATHER CONDITIONS

MONTH SPOTTED

J	F	M	A	M	J	J	A	S	O	N	D

HEAD

SPECIES ....

SEX / AGE ....

BEHAVIOR ....

VOICE ....

BODY ....

LEGS / FEET ....

HABITAT ....

ADDITIONAL NOTES ....

....

....

....

....

....

PHOTO / SKETCH

LOCATION

LOCATION NAME _____

GPS COORDINATES _____

HEAD

SPECIES _____

SEX / AGE _____

BEHAVIOR _____

VOICE _____

BODY _____

LEGS / FEET _____

HABITAT _____

WEATHER CONDITIONS

ADDITIONAL NOTES _____

_____

_____

_____

_____

_____

MONTH SPOTTED

J	F	M	A	M	J	J	A	S	O	N	D

PHOTO / SKETCH

LOCATION

LOCATION NAME _____

GPS COORDINATES _____

HEAD

SPECIES _____

SEX / AGE _____

BEHAVIOR _____

VOICE _____

BODY _____

LEGS / FEET _____

HABITAT _____

WEATHER CONDITIONS

ADDITIONAL NOTES _____

_____

_____

_____

_____

_____

MONTH SPOTTED

J	F	M	A	M	J	J	A	S	O	N	D

PHOTO / SKETCH

LOCATION

HEAD

SPECIES _____

SEX / AGE _____

BEHAVIOR _____

VOICE _____

LOCATION NAME _____

BODY _____

GPS COORDINATES _____

LEGS / FEET _____

HABITAT _____

WEATHER CONDITIONS

ADDITIONAL NOTES _____

_____

_____

_____

_____

_____

MONTH SPOTTED

J	F	M	A	M	J	J	A	S	O	N	D

PHOTO / SKETCH

LOCATION

LOCATION NAME ....

GPS COORDINATES ....

WEATHER CONDITIONS

MONTH SPOTTED

	J	F	M	A	M	J	J	A	S	O	N	D

HEAD

SPECIES ....

SEX / AGE ....

BEHAVIOR ....

VOICE ....

BODY ....

LEGS / FEET ....

HABITAT ....

ADDITIONAL NOTES ....

....

....

....

....

....

PHOTO / SKETCH

LOCATION

LOCATION NAME _____

GPS COORDINATES _____

HEAD

SPECIES _____

SEX / AGE _____

BEHAVIOR _____

VOICE _____

BODY _____

LEGS / FEET _____

HABITAT _____

WEATHER CONDITIONS

ADDITIONAL NOTES _____

_____

_____

_____

_____

_____

MONTH SPOTTED

J	F	M	A	M	J	J	A	S	O	N	D

PHOTO / SKETCH

LOCATION

LOCATION NAME

GPS COORDINATES

HEAD

SPECIES

SEX / AGE

BEHAVIOR

VOICE

BODY

LEGS / FEET

HABITAT

WEATHER CONDITIONS

ADDITIONAL NOTES

MONTH SPOTTED

J	F	M	A	M	J	J	A	S	O	N	D

PHOTO / SKETCH

LOCATION

LOCATION NAME _____

GPS COORDINATES _____

HEAD

SPECIES _____

SEX / AGE _____

BEHAVIOR _____

VOICE _____

BODY _____

LEGS / FEET _____

HABITAT _____

WEATHER CONDITIONS

ADDITIONAL NOTES _____

_____

_____

_____

_____

_____

MONTH SPOTTED

	J	F	M	A	M	J	J	A	S	O	N	D

PHOTO / SKETCH

LOCATION

LOCATION NAME --

GPS COORDINATES -------------------------------------

WEATHER CONDITIONS

MONTH SPOTTED

J	F	M	A	M	J	J	A	S	O	N	D

HEAD

SPECIES --

SEX / AGE --

BEHAVIOR --

VOICE --

BODY --

LEGS / FEET --

HABITAT --

ADDITIONAL NOTES ----------------------------------

PHOTO / SKETCH

LOCATION

LOCATION NAME _____

GPS COORDINATES _____

HEAD

SPECIES _____

SEX / AGE _____

BEHAVIOR _____

VOICE _____

BODY _____

LEGS / FEET _____

HABITAT _____

ADDITIONAL NOTES _____

_____

_____

_____

_____

_____

WEATHER CONDITIONS

MONTH SPOTTED

J	F	M	A	M	J	J	A	S	O	N	D

PHOTO / SKETCH

LOCATION

HEAD

SPECIES ....

SEX / AGE ....

BEHAVIOR ....

VOICE ....

LOCATION NAME ....

BODY ....

GPS COORDINATES ....

LEGS / FEET ....

HABITAT ....

WEATHER CONDITIONS

ADDITIONAL NOTES ....

....

....

....

....

....

MONTH SPOTTED

J	F	M	A	M	J	J	A	S	O	N	D

PHOTO / SKETCH

LOCATION

HEAD

SPECIES ------------------------------------

SEX / AGE ------------------------------------

BEHAVIOR ------------------------------------

VOICE ------------------------------------

LOCATION NAME ------------------------------------

BODY ------------------------------------

GPS COORDINATES ------------------------------------

LEGS / FEET ------------------------------------

HABITAT ------------------------------------

WEATHER CONDITIONS

ADDITIONAL NOTES ------------------------------------

MONTH SPOTTED

J	F	M	A	M	J	J	A	S	O	N	D

PHOTO / SKETCH

LOCATION

LOCATION NAME _____

GPS COORDINATES _____

WEATHER CONDITIONS

HEAD

SPECIES _____

SEX / AGE _____

BEHAVIOR _____

VOICE _____

BODY _____

LEGS / FEET _____

HABITAT _____

ADDITIONAL NOTES _____

_____

_____

_____

_____

_____

MONTH SPOTTED

J	F	M	A	M	J	J	A	S	O	N	D

PHOTO / SKETCH

LOCATION

HEAD

SPECIES ....

SEX / AGE ....

BEHAVIOR ....

VOICE ....

LOCATION NAME ....

BODY ....

GPS COORDINATES ....

LEGS / FEET ....

HABITAT ....

WEATHER CONDITIONS

ADDITIONAL NOTES ....

....

....

....

....

....

MONTH SPOTTED

J	F	M	A	M	J	J	A	S	O	N	D

PHOTO / SKETCH

LOCATION

LOCATION NAME ....

GPS COORDINATES ....

WEATHER CONDITIONS

MONTH SPOTTED

J	F	M	A	M	J	J	A	S	O	N	D

HEAD

SPECIES ....

SEX / AGE ....

BEHAVIOR ....

VOICE ....

BODY ....

LEGS / FEET ....

HABITAT ....

ADDITIONAL NOTES ....

....

....

....

....

....

PHOTO / SKETCH

LOCATION

HEAD

SPECIES

SEX / AGE

BEHAVIOR

VOICE

LOCATION NAME

BODY

GPS COORDINATES

LEGS / FEET

HABITAT

WEATHER CONDITIONS

ADDITIONAL NOTES

MONTH SPOTTED

J	F	M	A	M	J	J	A	S	O	N	D

PHOTO / SKETCH

LOCATION

LOCATION NAME _____

GPS COORDINATES _____

HEAD

SPECIES _____

SEX / AGE _____

BEHAVIOR _____

VOICE _____

BODY _____

LEGS / FEET _____

HABITAT _____

ADDITIONAL NOTES _____

_____

_____

_____

_____

_____

WEATHER CONDITIONS

MONTH SPOTTED

J	F	M	A	M	J	J	A	S	O	N	D

PHOTO / SKETCH

LOCATION

HEAD

SPECIES

SEX / AGE

BEHAVIOR

VOICE

LOCATION NAME

BODY

GPS COORDINATES

LEGS / FEET

HABITAT

WEATHER CONDITIONS

ADDITIONAL NOTES

MONTH SPOTTED

J	F	M	A	M	J	J	A	S	O	N	D

PHOTO / SKETCH

LOCATION

LOCATION NAME _____

GPS COORDINATES _____

WEATHER CONDITIONS

🌡 _____ ☀ 🌤 🌧 ⛈ ❄

🎏 _____ ☐ ☐ ☐ ☐ ☐

MONTH SPOTTED

J	F	M	A	M	J	J	A	S	O	N	D

HEAD

SPECIES _____

SEX / AGE _____

BEHAVIOR _____

VOICE _____

BODY _____

LEGS / FEET _____

HABITAT _____

ADDITIONAL NOTES _____

_____

_____

_____

_____

_____

_____

PHOTO / SKETCH

LOCATION

HEAD

SPECIES ....

SEX / AGE ....

BEHAVIOR ....

VOICE ....

LOCATION NAME ....

BODY ....

GPS COORDINATES ....

LEGS / FEET ....

HABITAT ....

WEATHER CONDITIONS

ADDITIONAL NOTES ....

....

....

....

....

....

MONTH SPOTTED

J	F	M	A	M	J	J	A	S	O	N	D

PHOTO / SKETCH

LOCATION

HEAD

SPECIES ------------------------------------

SEX / AGE ------------------------------------

BEHAVIOR ------------------------------------

VOICE ------------------------------------

LOCATION NAME ------------------------------------

BODY ------------------------------------

GPS COORDINATES ------------------------------------

LEGS / FEET ------------------------------------

HABITAT ------------------------------------

WEATHER CONDITIONS

ADDITIONAL NOTES ------------------------

MONTH SPOTTED

J	F	M	A	M	J	J	A	S	O	N	D

PHOTO / SKETCH

LOCATION

LOCATION NAME _____

GPS COORDINATES _____

WEATHER CONDITIONS

🌡 _____ ☀ ⛅ 🌧 ⛈ ❄

🚩 _____ ☐ ☐ ☐ ☐ ☐

MONTH SPOTTED

J	F	M	A	M	J	J	A	S	O	N	D

HEAD

SPECIES _____

SEX / AGE _____

BEHAVIOR _____

VOICE _____

BODY _____

LEGS / FEET _____

HABITAT _____

ADDITIONAL NOTES _____

_____

_____

_____

_____

_____

PHOTO / SKETCH

LOCATION

LOCATION NAME _____

GPS COORDINATES _____

HEAD

SPECIES _____

SEX / AGE _____

BEHAVIOR _____

VOICE _____

BODY _____

LEGS / FEET _____

HABITAT _____

WEATHER CONDITIONS

ADDITIONAL NOTES _____

_____

_____

_____

_____

_____

MONTH SPOTTED

J	F	M	A	M	J	J	A	S	O	N	D

PHOTO / SKETCH

LOCATION

HEAD

SPECIES

SEX / AGE

BEHAVIOR

VOICE

LOCATION NAME

BODY

GPS COORDINATES

LEGS / FEET

HABITAT

WEATHER CONDITIONS

ADDITIONAL NOTES

MONTH SPOTTED

J	F	M	A	M	J	J	A	S	O	N	D

PHOTO / SKETCH

LOCATION

LOCATION NAME _____

GPS COORDINATES _____

WEATHER CONDITIONS

MONTH SPOTTED

	J	F	M	A	M	J	J	A	S	O	N	D

HEAD

SPECIES _____

SEX / AGE _____

BEHAVIOR _____

VOICE _____

BODY _____

LEGS / FEET _____

HABITAT _____

ADDITIONAL NOTES _____

_____

_____

_____

_____

_____

PHOTO / SKETCH

LOCATION

LOCATION NAME _____

GPS COORDINATES _____

WEATHER CONDITIONS

MONTH SPOTTED

J	F	M	A	M	J	J	A	S	O	N	D

HEAD

SPECIES _____

SEX / AGE _____

BEHAVIOR _____

VOICE _____

BODY _____

LEGS / FEET _____

HABITAT _____

ADDITIONAL NOTES _____

_____

_____

_____

_____

_____

PHOTO / SKETCH

LOCATION

HEAD

SPECIES _____

SEX / AGE _____

BEHAVIOR _____

VOICE _____

LOCATION NAME _____

BODY _____

GPS COORDINATES _____

LEGS / FEET _____

HABITAT _____

WEATHER CONDITIONS

ADDITIONAL NOTES _____

_____

_____

_____

_____

_____

_____

MONTH SPOTTED

	J	F	M	A	M	J	J	A	S	O	N	D